Help

Selma Noort
Tekeningen van Harmen van Straaten

Zwijsen

Saai!

Ruud en Maud lopen naar huis.
'Het was saai op school,' klaagt Ruud.
'Ja, heel saai,' geeft Maud toe.
'Er gebeurt nooit eens wat,' zegt Ruud.
'En thuis is het ook saai.'
Hij staat stil.
'Wat doen we nou thuis?
Eten, opruimen, slapen.
Wakker worden, eten, naar school.'
Maud kijkt naar Ruuds boze gezicht.
'Maar we spelen toch buiten!'
'Ja, als het mooi weer is.
En wanneer is het nou mooi weer?
Dat is bijna nooit!'
'En we gaan wel eens naar oma,' houdt Maud
vol.

'Ja, daar is het pas saai!'
Dat vindt Maud naar voor oma.
'We krijgen toch altijd iets lekkers!' roept ze.
'Ja, maar dat is toch niet iets dóen!'
'Wat wou je dan doen?'
'Nou, iets spannends.
Of iets leuks of iets geks.
Net als in een film of in een boek.'
Ruud schopt tegen een steentje.

Hij begint weer te lopen.
Maud loopt met hem mee.
Ze lopen door een saaie straat.
Er wonen geen dieven of boeven.
Er breken geen wilde dieren los uit kooien.
Brand is er ook nooit.
'Ze maken hier niet eens ruzie,' moppert Ruud.
'Ik wed dat hier nooit politie komt!
Er rijdt zelfs geen auto voorbij.
Je hoeft nog niet eens uit te kijken!'
Maud zucht ervan.
Poe, als Ruud het zo zegt ...
Ja, dan is het allemaal wel erg saai.

De oppas, Hannes, is er.
Hannes zit nog op school.
Hij komt als pap en mam werken.
'Hoi!' zegt hij.
'Willen jullie drinken en wat lekkers?'
Ruud geeft geen antwoord.
Hij stampt naar boven.
'Wat is er met hem aan de hand?'
'Hij vindt alles saai,' legt Maud uit.
Ze gaat aan tafel zitten.
Hannes geeft haar drinken en een koek.

'Hij vindt school saai,' gaat Maud verder.
'En hij vindt het hier saai.'
'Hier?' vraagt Hannes.
'Hier in de straten,' zegt Maud.
'En hij vindt het thuis saai.'
'Maar wat wil hij dan?'
'Iets spannends of iets geks.
Zoals in een boek of een film.
Snap je?'
Hannes lacht een beetje.
'Ik snap het,' zegt hij.

Wat krijgen we nou?

Er is alweer een schooldag voorbij.
Maud en Ruud staan in de tuin.
Ruud belt al voor de tweede keer.
Maar er doet niemand open.
'Wat krijgen we nou?' moppert Ruud.
'Er is niemand thuis!' zegt Maud.
'Hoe kan dat nou?'
Ruud kijkt benauwd.
'Ik moet plassen.'
'Hannes zou komen,' zegt Maud.
'Ik snap het niet.'
'Ik hou het niet meer,' jammert Ruud.
'Ga dan in de bosjes!' snauwt Maud.
Ruud holt weg.

Maud kijkt scherp om zich heen.
Ligt er soms ergens een sleutel?
Moest Hannes even weg?
Ineens houdt ze haar adem in.
'Wat is dat?' vraagt ze zacht.
Ruud staat weer achter haar.
'Wat?' vraagt hij.
Maud wijst.

Er zit rood op de deur.
Een veeg.
Is dat bloed?
Bloed van Hannes?
En de mat ligt ook zo raar scheef.
'Er is iets gebeurd,' fluistert Maud.
'Iets met Hannes!'
Ruud is even heel stil.
Dan zegt hij: 'We moeten hem zoeken.'
'Ja,' zegt Maud.
'Laten we een spoor zoeken.'

Ze kijken om zich heen.

Ruud raapt een dikke tak op.

Die houdt hij vast als een knots.

In de boom krast een kraai.

En dan klinkt er zacht tikken.

Maud pakt Ruuds arm.

'Wat is dat?'

'Gewoon regen!' zegt Ruud.

Hij trekt zich los.

'Kijk daar eens!'

Hij wijst op het straatje.

Ja, daar ligt iets bij de heg.

Ze hollen erheen.

Het is een halfvol pakje kauwgom.

'Deze eet Hannes altijd!'

Ze kijken elkaar aan.

Maud bukt en raapt het op.

Achter het huis staan bomen en bosjes.

En daar achter een hek van gaas.

En dat hek staat om een lege fabriek.

Vroeger werden daar dakpannen gemaakt.

Maar de fabriek is allang dicht.

Er komt daar nooit meer iemand.

Of toch wel?

Verboden toegang

Ruud en Maud sluipen langs het hek.
Ze kijken er doorheen.
Loopt daar iemand?
Nee, dat lijkt maar zo.
Wat beweegt daar?
O, een oude plastic zak in de wind.
Het regent nu harder.
Maud zet haar kraag op.
En Ruud ritst zijn jas dicht.
'Hij kan daar niet zijn,' zegt Maud.
'Nee, er zit geen gat in het hek.'
'Au!'
Ruud struikelt.
Hij zwaait met de stok.
Op de grond ligt een baksteen.
'Rotsteen!' scheldt Ruud.
'Ruud, kijk!' roept Maud.
'Er zit ook rood op die steen!'

Ze hollen verder.

Maar waar gaat het spoor naartoe?

Ze kijken naar links en naar rechts.

'Daar!'

Maud wijst.

Ze hollen naar iets wits.

Het is een zakdoek van papier.

'Die hoeft niet van Hannes te zijn.'

Maud wil al verder lopen.

Maar Ruud blijft staan.

'Wacht even,' zegt hij.

'Er staat iets op!'

Hij bukt zich en pakt de zakdoek.

Er staan letters op.

Zijn het letters van bloed?

HELP! leest Ruud.

Maud pakt zijn mouw vast.

'Een gat in het hek,' fluistert ze.

Ze wijst.

Het gaas zit los en krult om.
Ruud kruipt door het gat.
Maar Maud kijkt omhoog.
Er hangt een bord aan het hek.
Er staat iets op in grote letters.
VERBODEN TOEGANG!
'Dit gat zat er eerst niet,' zegt ze.
'Wie heeft dit gemaakt?
Wat is er met Hannes gebeurd?'

Ruud staat achter het hek.
'Kom nou,' zegt hij.
Maud kruipt door het hek.
Even later staat ze naast Ruud.
Ze zien hun huis in de verte.
Er brandt geen licht binnen.
'Heb je nou je zin?' vraagt Maud.
'Hoe bedoel je?'
'Nou, dit is in elk geval niet saai!
Dit is eng!'

Is hier iemand?

Ze hollen langs oude schuren.
Overal liggen dakpannen.
Soms liggen ze netjes op stapels.
En soms gewoon op een hoop.
Het hout van de schuren is rot.
De regen druipt naar binnen.
'Stil eens!' roept Maud.
'Ik hoorde iets!'
Ze spitsen hun oren.
'Het lijkt op kreunen,' fluistert Ruud.
'Of horen we de wind?'
Maud pakt zijn hand.
Samen lopen ze verder.
'Ik hoorde het weer!'
Maud draait zich om.
'Het kwam van die kant!'
Ze trekt Ruud mee naar een schuur.
De muren van de schuur zijn zwart.
Er zitten geen deuren in.
Het is meer een soort open stal.
'Hannes?' roept Maud.
PATS!
En valt een dakpan.

Scherven spatten in het rond.
Maud geeft een gil.
Ruud pakt haar vast.
'Wat ... wat was dat?'
'Is hier iemand?' roept hij nog eens.

Ze horen stappen.
Het klinkt als een man.
Iemand schraapt zijn keel.
Een zware stem roept:
'Wat moeten jullie hier?
Donder op, en gauw!
Er mag hier niemand komen!
Wacht maar tot ik jullie te pakken krijg!'
Maud en Ruud blijven niet staan wachten.
Ze rennen weg zo hard ze kunnen.
HA, HA, HA! horen ze achter zich.
Zoals die man lacht!
Maud knijpt in Ruuds hand.
Ze springen achter een schuur.
Ze hijgen even uit.
Het lachen klinkt nog steeds.
Maud kijkt naar Ruud.
'Hoor je dat?' vraagt ze.
'Komt dat je niet bekend voor?'
Ruud kijkt haar verbaasd aan.
'Hoe bedoel je ...' begint hij.
Maar dan moet hij lachen.
'Ja, die stem ken ik!' zegt hij.

Waaah!

Ruud en Maud lopen terug naar de schuur.
Maud gluurt tussen de rotte planken door.
'Ik zie hem!' sist ze.
Ruud gaat voorop met de dikke tak.
Het is bijna donker in de schuur.
Ze sluipen zo stil als ze kunnen.
Ja, daar zit iemand.
Het is een jonge man.
Hij steekt net een kauwgom in zijn mond.
Ruud springt naar voren.
Hij heft de tak hoog.
'Ik geef je wat te kreunen!' brult hij.
'Waaah!' schreeuwt de jonge man.
Van schrik tuimelt hij van de dakpannen.
Maud springt ook naar voren.
'We hadden je wel in de gaten, Hannes!
Ik wist het toen ik je hoorde lachen.'

Hannes klopt zichzelf af.
'Ik verzin eens iets, dacht ik.
Ruud vond alles toch zo saai?'
'Vandaag was het niet saai,' zegt Ruud
lachend.

'Je hebt ons goed gefopt, Hannes.'
Hannes lacht.
'En jullie hebben mijn spoor goed gevolgd.'

Ze lopen terug naar huis.
'Dat rode, is dat bloed?' vraagt Maud.
'Nee hoor, ketchup,' zegt Hannes.
'En dat kreunen, deed jij dat?'
'Ja, het was net echt, hè?' zegt Hannes grijn-
zend.
Ze kruipen door het gat in het hek.
Hannes trekt een sterke ijzerdraad uit zijn zak.
Daarmee maakt hij het gaas weer goed vast.
'Zo,' zegt hij.
'Dat was dat.'

Misschien

Hannes maakt de deur open met de sleutel.
Ruud en Maud trekken hun jas uit.
Het is lekker warm binnen.
Hannes doet het licht boven de tafel aan.
En hij zorgt voor drinken en een koek.
'Jij durfde eerst niet door het gat.'
Ruud heeft weer veel praatjes.
'Jawel!' roept Maud.
'Maar ik zag een bord.
Verboden toegang stond erop.'
Ruud kijkt stoer.
'En ik nam die tak maar mee.
Je weet maar nooit, dacht ik.'
Hannes komt ook aan tafel zitten.
'Wou je daar iemand mee slaan?'
'Nou, als het moest.'
Opschepper, denkt Maud.
'Ruud moest plassen,' zegt ze.
'In de bosjes, ha, ha!'
Ruud krijgt een kleur.
'Geeft niks hoor, Ruud,' zegt Hannes.
'Als je moet, dan moet je.'

Ze zitten daar fijn.
Ze hebben veel om over te praten.
Want er is nu eens iets gebeurd.
En dat was leuk, gek en spannend.
'Hannes,' smeekt Ruud,
'wil je nog eens iets spannends doen?'
'Ja, Hannes, wil je dat?' vraagt Maud.
Ze vraagt het met haar liefste stem.
Hannes kijkt naar Maud en Ruud.
Ze hebben een kleur van plezier.
'Och,' plaagt hij.
'Misschien ...'

Raketjes bij kern 10 van Veilig leren lezen

1. **Vieze Lieze**
Tosca Menten en
Jeska Verstegen
*Na ongeveer 30 weken
leesonderwijs*

2. **De steen van Floor**
Dirk Nielandt en
Daniëlle Schothorst
*Na ongeveer 30 weken
leesonderwijs*

3. **Help!**
Selma Noort en
Harmen van Straaten
*Na ongeveer 30 weken
leesonderwijs*

ISBN 90.276.6184.7
NUR 287
1e druk 2005

© 2005 Tekst: Selma Noort
Illustraties: Harmen van Straaten
Lay-out: Studio Frans Galema
Uitgeverij Zwijsen B.V. Tilburg

Voor België:
Zwijsen-Infoboek, Meerhout
D/2005/1919/394